韓文善 詩選

시간과의 속삭임

My Whispering with Time

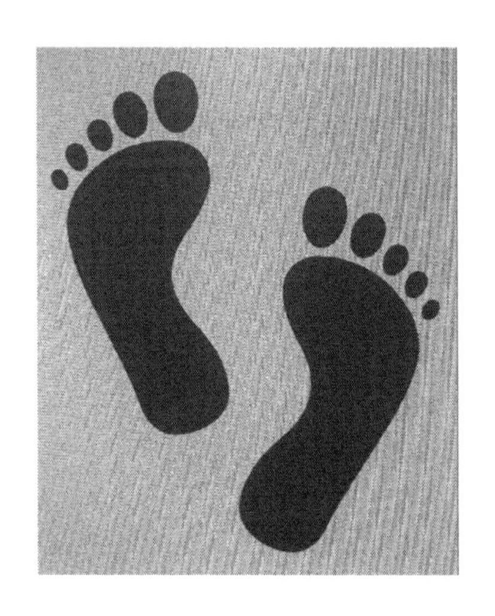

한문선 HAN MOON SUN
연세대에서 경영학을 전공하고 숙명여대 국제학석사, 중국 센젠대학에서 경영학 석사학위를 받았다.
일본에서 10여년 주재를 했고, 중국 산동외사번역대학에서 한국어 교수를 역임했다.
이 시집에는 그런 생활상이 배어있다.

유 아 리 Ari Yoo

나의 사랑하는 손녀. 미국 캘리포니아, 플레젠튼市 소재, Donlon Elementary school 3학년이다. 솜씨 자랑하고 싶어 몇 장 실었다.

≪시간과의 속삭임 차례≫

오며 가며

그대 있는 안방마저 보일 듯하네

한없이 쓰고 또 쓴
나의 편지 조각이
빗물에 씻겨 그대에 닿으려나…..

창문을 엿보던 빗방울이
나의 이런 모습
그대에게 전했으려나…..

다음 오는 비에
그대 음성 들리려나……

인생 훈장 심장박동기

가슴에 훈장 달더니 만
우리 할매 기죽었나요?
걷다 힘없을 때 차 타면 좋듯이
힘 부치면 기계라도 달아야 지요

그것은 하늘에서 준 행운이 지요
그것은 사랑하는 사람에게만 준 선물이요
그것 자체를 모르고 돌아간 사람도 많다니까요
그것은 늘 자랑할 만한 훈장이요

가족을 위해 고생한 표식이요
아름다운 마음을 표창한 상품이요
아직 해야 할 일이 있다는 징표요
사랑을 받을만한 사람에게 주는 훈장이요

가슴에 훈장까지 달았으니
우리 할매 어께에 힘주구려
차를 몰고 가듯 거침없어도 되오
바람이라도 몰고 오듯 힘내구려

그 아픔을 내게

사랑하는 님아
그대가 아프구나!
푸른 언덕 길섶에서
늘 그토록 싱그러운 민들레처럼
언제라도 강건하던 님아
그대가 아프구나!

사랑하는 님아
그대가 아프다니!
올망졸망 애들 달고
수만리(數萬里)를 넘나드는 기러기처럼
현해탄을 드나들던 님아
그대가 아프다니!

사랑하는 님아
기운을 차려주려마!
천둥번개 치며 내린 비 개인 후
더욱 아름다운 하늘을 주는 것처럼
이 밤을 지새고 나면
더욱 예쁜 미소를 주려마!

사랑하는 님아
행복한 꿈을 꾸어보려마!
올망졸망 아이들이 애비 되고 엄마 되어
그대의 꿈을 이어주는 것처럼
이제부터 영원한 내일까지
행복하다는 꿈을 꾸어 보려마!

사랑하는 님아
그 아픔을 내게 주려마!
늘 힘 있고 잘 견디는 민들레처럼
심신의 고통과 아픔을 떨쳐 보려마!
환한 웃음을 머금고
당자에라도 달려와 보려마!

사랑하는 님아
그 아픔을 내게 주려마!

그대는 사랑이고 행복이요

창가를 때리는 빗발이
흠뻑 뒤집어쓰고플 만큼 만지고 싶다면

옷깃을 스치는 바람이
한껏 들이키고 싶도록 상쾌하다면

어디선가 들려오는 새소리가
춤추고 싶도록 정겹게 들려온다면

흘러가는 구름조각 하나하나가
마음의 그림으로 아름답게 보인다면

땅거미가 지는 것이
기다려지는 안식이라면

밤하늘의 별들이
작은 손 흔들어 반긴다 싶다면

창가를 두드리는 아침 햇살이
힘찬 행진곡처럼 얼굴을 두드린다면

그대 마음속의 사랑이
행복으로 다시 태어나고 있음이요.

오늘부터 영원까지
그대가 생각하는 것마다

보는 것마다
듣는 것마다
사랑이고 행복임이요.

그대에게

불어오는 바람에
그대 근심 날려가고

내리는 비에
그대 걱정 씻겨가고

화창한 햇살이
그대에게 평안을 주고

맑은 달빛이
그대에게 온화한 향기를 주고

사랑하는 마음이
그대에게 행복을 주고

변함없는 우정이
그대에게 쾌락을 주고

이 글이
그대에게 기쁨이기를

그대의 사랑으로

오솔길을 걷고 있네.
그대가 바람이니
혼자여도 혼자가 아니네.
그대가 햇살이니
멀어도 먼 것이 아니네.

하루를 음미하며 차를 마시네.
그대가 향기이니
혼자라도 외롭지 않네.

밥상을 차려놓고 수저를 드네.
그대의 손길 그득하니
진수성찬이 따로 없네.

옛사람은 매실을 보고
갈증을 다스렸다 하네.
나는 그대의 사랑으로
외로움을 달래고 있네.
행복을 키우고 있네.

그대의 향기

비가 오는구려.
좋아해서가 아니고 보내준 우산 써보고 싶어서
접었다 폈다 하던 우산

오늘 활짝 펴고 그대와 함께 걸었소.
작은 우산, 찢어진 우산이 불편하리라 생각했소?
함께 쓰기 작다고 생각했소?

이렇게 비 오는 궂은날에 창밖에 귀 기울이는 것은
혹시나 그대와 함께 할 상상 때문이지요.
그대의 향기가 그리워지는구려.

비가 오든 햇볕이 좋든 무슨 상관이리오
그대의 향기 속에
영원히 함께 하고 싶소.

그런 나날

땅 설고 낯 설은 이국 땅, 홍콩에서
마치 무인도에 피신한 양
우리 둘만의 은둔을 즐겼던
그런 나날도 있었지

일에 쫓기고 돈에 주눅 들어
당신에게 하나에서 열까지를 내동댕이친 채
즐거움을 절약이나 하듯
그렇게 보냈던 나날이었지

그래도 그 혼돈 속에서
진주를 엮듯 추억을 예쁘게
주렁주렁 꿰매어 놓다니요
이제 보니 그런 나날이었네

언제 뒤를 돌아보아도
당신이 있어 웃을 수 있었지
당신이 있어 희망을 보았지
당신이 있어 온통 아름다웠지
예전에 그런 나날이었던 것처럼

기 차 여 행

그래 기차여행을 떠나는 거야
교외선이 좋을까
먼저 경부선을 타보는 것이 좋겠네
당신은 신 것을 안 좋아하니
오이랑 무를 한두 개 갖고 가자구

생각해봐
어느 곳 하나 추억이 안 담긴 역이 없지
차창 밖을 바라만 봐도 좋고
내려서 걸어 봐도 좋을 거야
잠시 내려 뜨거운 국수라도 한 그릇 먹어 볼까나

심천은 내려서 걷고 싶은 역이야
영동도 그렇고
대전도 그렇겠군
다음엔 직지사를 꼭 가보자구

대구에는 내 청춘의 한줄기가 걸려 있지
군생활을 거기서 했거든.
여름엔 너무 덥고 겨울은 참기 어려운 추운 땅이지

허지만 지금 나에게는 아름다운 추억의 동산이네
김천이 당신에겐 그런 마음의 고향이겠지
당신이 원하면 하루 이틀 머물어도 좋겠어
누구를 만나기 위해서가 아니라도
그저 옛날을 보고 음미하는 의미에서 말이요

나는 눈을 감는다

사람들은
가까이
더 자세히 보고 싶어
안경을 쓰고

그대 그리운 나는
가까이
더 자세히 보고 싶어
눈을 감는다

나는 오늘도

오늘도 우리 님은
아무런 소식이 없네.

나는 오늘도
버스노선이 바뀐 줄 모르고
무작정 옛사람을 기다리고 있는 사람처럼

기차가 다니지 않는 텅 빈 역사에서
어디를 가야만 할 것 같은 사람처럼

그 옛적에 뱃길이 끊겼건만
동산에 올라 떠난 님 오기만을 기다리는 사람처럼
그런 사람 사람들의 마음속을 드나들고 있소.

나는 오늘도
지나간 흔적이 없는 그대를 무작정 기다려 보오.
오늘도 우리 님은
아무런 소식이 없네.

나는 이미

내 마음은 이미
우리 에덴에 있네
그대와 함께 있네
꿈이 아닌 듯 꿈은 아니고
꿈인 듯 꿈이 아니어라
나는 이미
그대 곁에 있네
그대 속에 있네

나는 이런 사람이요

나는 이런 사람이요.
누구든 나를 보면
사랑하는 그대 있으니
나만큼만 행복하면 좋겠다는
나는 그런 사람이요.

나는 이런 사람이요
누구든 나를 보면
애들의 든든한 엄마 있으니
나만큼만 자유로우면 좋겠다는
나는 그런 사람이요.

나는 이런 사람이요.
누구든 나를 보면
내일을 준비하는 그대 있으니
나만큼만 걱정 없으면 좋겠다는
나는 그런 사람이요.

나는 이런 사람이구려
염치없이 행복하고

미련하게 받기만 하고
보답할 날을 아직 주지 못한
나는 그런 사람이구려.

나는 천사를 보았네

나는 천사를 보았네
언제 나처럼 당당한 모습
변함없는 세심한 배려
그러나 다정한 미소 뒤에
힘겨움이 보여 마음 아팠네

나는 천사를 보았네
어려운 지금이 지나면
곧 행복을 맞으리라 위로했네
지금까지의 고통
축복 되어 돌아오리라 격려했네

나는 천사를 보았네
말없이 돌아서는 나에게
사랑과 희망과 믿음을 주었네
잊었던 많은 사연 그것은
천사가 준 바로 그것이었네

나는 천사를 보았네
당신이라는 천사를 위하여
나는
오늘은 무엇을 하고 있는가!
내일은 무엇을 할 수 있을까?

해와 달처럼

하늘의 해와 달이
그리고 별들이
내가 어디에 있든
늘 그 자리에서
늘 그렇게 나를
맞이하고 있듯이

당신의 미소가
당신의 소리가
뜨거운 내 가슴속에
늘 그렇게 나를
맞이하고 있듯이

나도 해와 달처럼
그리고 별처럼
당신이 어디에 있든
늘 당신의 가슴속에
늘 그렇게 당신과
함께 할 수 있기를

누가 이런 문제 내보소

누가 이런 문제 내보소.
세상에서 제일 예쁜 사람 누구요?
그건 변함없이 그대요.

누가 이런 문제 내보소.
세상에서 제일가는 요리사는 누구요?
두말할 것도 없이 그대요.

누가 이런 문제 내보소.
집안 밖의 일제일 잘하는 이 누구요?
누구랄 것 없이 그건 그대요.

누가 이런 문제 내보소.
세상에서 나를 제일 잘 아는 이 누구요?
내가 제일 잘 알지. 그건 그대요.

누가 이런 문제 내보소.
세상에서 내가 제일 사랑하는 이 누구요?
그대는 알겠지. 그건 그대요.

누가 이런 문제 내보소.
세상에서 우리가 가장 소망하는 게 무어요?
우리 둘은 알고 있지.
함께 하는 거요. 나와 그대요.

사랑을 먹어 봤남?

벗님네들, 사랑을 먹어 봤남요?
허나, 아직 무슨 말인지 모를 거야.
내는 매일 사랑을 먹는다네.

왜서 이리 좋은 맛일꼬?
어제 오늘 일이 아니지만
내도 이제야 사랑의 맛을 알게 됐네 그려.
아니, 사랑을 먹고 있음을 알게 됐네.

그토록 수많은 날들을
내는 그저 솜씨가 좋으려니 그리 생각하며
이날까지 그렇게 먹어 주기만 했네 그려.

사랑하는 사람의
사랑의 비법으로 빚어낸 음식이기에
이토록 질리지 않는 애틋한 맛이라는 걸
예전에는 미처 몰랐다네.

보통의 음식이 아니요
사랑의 결정이라는 것을 이제야 알았구먼 그려.
내는 매일
사랑을 먹고 있는 걸세나.
벗님네들 사랑을 먹어 봤남요?

당신은 시인이요

당신은 시인이요
당신의 글로 희망에 넘치고
사랑에 겹습니다
당신은 시인이요
당신의 글로 지난날을 위로받고.
하루를 기쁨으로 맞습니다.

당신은 시인이요
당신의 글로 구름이 아름다운 그림으로
바람이 정다운 속삭임이 됩니다.
당신의 글로 조용한 창가에서 감상에 젖고
당신의 글로 용기 얻고 바삐 내일을 챙깁니다.

당신은 위대한 시인이요
당신의 글로 떠오르는 시상을 멈출 수 없소
당신의 글은 읽는 이로 하여금 시인이 되게 하오

당신은 시인이요.
아니 시인보다 더 시인이요
당신의 글로 내일이 있습니다

소포를 열어 보면

열어보면 별것도 없으리라.
값나가는 것도/신기한 것도/기념할만한 것도 없는
그런 보따리리라.

보내면 좋겠다고 고르고 골라/시간을 다투어 보내려
하면서/짜릿한 감마저 느끼던 때와
보낸 후
생각해 보니 미련이 남아 있구려.

별스럽지 않다는 생각 때문이요.
나름대로 하나하나에 의미가 있고/보내야 하는 이유가
있었건만/동봉한 보이지 않는 마음 이외에는
별것도 없는 보따리구려.

뚜껑을 열거들랑
거기에서 의미도 찾고/이유도 붙여보고
나의 마음도 찾아보구려.
그러면
받을만한 것들일 거요.
그런 보따리리라.

만남

하늘에서
별 하나가 가슴에 떨어져 사랑이 됐습니다
가슴 저린 아주 큰 사랑이...
어둔 밤에도 찾을 수 있도록 빛이 됐습니다
아주 밝은 빛이 나는 ...

꽃씨 하나가 가슴에 떨어져 그리움이 됐습니다
가슴 저며 오도록....
지치고 힘든 날에도 웃음 주는 꽃이 되고 싶습니다
아름다운 꽃이....

나는 그대를 위하여
그대는 나를 위하여
그리운 날에는 이름을
외로운 날에는 노래를

아낌없이 주는 나무처럼 사랑을 주고 싶습니다
만나도 또 만나고 싶은 만남의 샘물이고 싶습니다

당신이 지나간 자리

당신이 지나간 자리에는

풀잎 하나 구김살 없이

아침 해오름처럼

싱그러운 희망만 흘려 놓았네

당신이 건네준 네잎크로바에는

네 잎 귀퉁이마다

당신의 자신 있는 입술처럼

상큼한 웃음만 소복이 쌓여있네

비 오는 날이면

비 오는 날이면
비결에 당신 모습 보일까
빗소리에 당신 목소리 묻힐까
숨죽여 기다려봅니다

화창한 날이면
먼 곳의 당신 모습 보일까
바람결에 당신 목소리 들릴까
목 빼고 기다려봅니다

빗속에서 당신의 모습 볼 수 있듯이
바람과 함께 당신의 음성 들을 수 있듯이
구름 속에서도 당신이 나를 지켜보듯이

당신은 언제나
나와 함께 하고 있다는 것을
예전에는 미처 몰랐습니다

이리도 당신이 그리울 줄
예전에는 미처 몰랐습니다

사랑의 시간

자네는 시간을 아는가!
나는 이제 서야 그것도 어렴풋이 알겠구먼.
이국땅에서 사랑하는 마나님을 기다리노라면
한 시간이 하루요, 하루가 일 년 같다네.

오늘 얼마 동안을 그리워했다고 하여야 하나!
하루 종일인가? 일 년같이 인가?
지난날들을 돌이켜 보네.
사랑하는 마나님에게 잊히지 않는 사랑의 시간은 얼마나 될까?

기억될만한 여행 순간은 얼마일까?
기쁘게 선물 받은 날들은 기억할까?
둘만의 행복했던 날들은 며칠일까?
자신 있게 내세울 시간이 없네그려.

나의 시간으로 따지면 퍽이나 길겠지만,
마나님의 셈법은 얼마나 다를지 걱정일세.
그래서 말인데,
이제부터 새삼 매 순간을 사랑으로 채워가겠네.

꿀 배를 보며

탐스러운 꿀 배 살까 싶어 어루만지다 그만두었소.
비싸서가 아니요.
당신이 좋아하는 배를
혼자 먹을 수가 없어서요.

어느 날 당신이 오는 날
그런 배가 없으면 어쩌나
다만 걱정은 그것뿐이요.

언제까지라도 보관할 수 있다면
아마도 남김없이 샀으리라.

돌아서며 혼자서 흐뭇했소.
당신을 연상하는 것만으로도 행복했소.

어느 날
당신이 오는 날
그런 꿀 배가 없으면 어쩌나
다만 걱정은 그것뿐이요.

길을 걸으며

길을 걷노라면 언제부터 인가
가끔 하늘을 올려다보는 습관이 생겼습니다
아마도 그리운 당신 때문일 것입니다

너무 그리워, 너무 사랑해
구름 사이에서라도 찾아보고픈 사람아!
그대 맑은 목소리로 나를 부르면
그대 부드러운 숨결로 나를 깨우면
언제든 어느 곳에 있든 달려가겠습니다.

온통 내 가슴을,
그대 잔잔한 물결로 채우고 나면
구름이 흐를 때마다
별이 빛날 때마다
살포시 떠오르는 그대 모습은
커다란 행복입니다.

그리움 날개 달아

입안 가득한 뿜어내고 싶은 말
당신을 사랑한다는 말

조용히 별을 세며 그대 이름
나지막이 부르다 나도 모르게
눈물 날 것 같은 사람

내 그리움 날개를 달아
그대 잠든 사이 조용히
그대 곁에
살며시 묻고 오고파

저 별에 '사랑합니다'
보이지 않게 작게 새겨 놓았습니다.
그대도 저 별 바라보며
별 숫자만큼 사랑해 주기 바라오.

아프도록 행복하소

아픔도 하나의 행복 과정이고
사랑 법의 하나이려니 생각하시구려.
세상에는 쉬운 일이란 없지요.
사랑하기도 그리 쉽지만은 않지요.

평생을 사랑하다가
평생을 사랑받다가
갈등도 하고 고민도 하고 기쁘기도 하다면
그 사람은 행복한 사람일 거요

어찌 사랑을 줄까를 고민하는 사람은
행복한 사람일 거요.
당신처럼….
그 아픔이 모두가 행복일 테니 말이요

어느 날 아침 문득

사람이 살아가면서 가장 중요한 일은 무엇일까? 얻는
것보다는 어떻게 헌신할까라고 생각한다.
사랑도 마음껏 헌신하고 싶다는 감정이 아닐까!

그런 기분이 나기 위해서는 겉모습일 수도, 돈일 수도,
혹은 직위일 수도 있겠다. 그렇다면 지금 나에게서 찾을
수 있는 것은 무엇일까 걱정이다. 돈이나 직위도 없고
그저 패기 없이 늙어가고 있으니 말이다.

그동안 죽어도 잊지 못할 은혜를 베풀지도 못했고,
국가와 사회에 공덕을 세워 길이 남을 명예도 없고,
돈으로 만족을 안겨줄 처지도 아니다.
거기다
지금껏 나에게서 받은 사랑으로 앞으로 살아갈 날을
메울 수도 없을 터이니 어찌하면 좋은가?

어느 날 아침 문득
나에게 있어 당신의 인기척으로
오늘도 살아 있음에 감사한다.

어느 카페의 창가

부부인 듯한 두 노인이
창가에 앉아 다정하게 커피를 마신다.
모자에 목도리까지 단단히 차례 입은
모양새가 먼길이라도 떠날 참인가?

옆에 놓인 작은 가방이
나의 상상력을 자극한다.
추측이 틀렸으면 어떠랴!
정겨운 두 사람의 뒷모습이
나로 하여금 지금이라도
어디론가 떠나라고 충동한다.

삶이란 긴 여정을 오늘도
서슴없이 함께 하려는 두 사람
그 사랑이 온 누리에 전염되도록
늘 그렇게 멋지게 사시구려!

사랑에 웃고 울고

얼떨결에 딸래미 얼굴 보게 생겼네.
엄마가 보고 싶어 태평양을 건넌다네.
자기 일 보려고 엄마 찬스로 포장했지요.

어설픈 핑계보다 보고 싶다니 엄마는 좋다.
이유야 어쨌든 보고 싶은 딸이 온다.
만나면 반가워 웃을까, 너무 좋아 울까?

엄마는 사랑에 웃고, 사랑 때문에 운다.

수박의 계절

수박의 계절이구려.
둥그런 수박, 기다란 수박,
큰 수박, 예쁜 작은 수박,
장꾼은 반을 쪼개 벌건 속살 보이며 유혹하네.

당신 생각이 물씬 묻어나는 과일 판매대구려
아마 같이 있었다면 그 틀림없는 눈으로
입에 스르륵 녹는 단 수박을 골랐겠지.

이리 보고, 저리 보고 또 망설이 다가
그리고는 푸른 사과를 샀구려.
수박은 아무래도 당신과 먹어야 제격이지.

어차피 이번 수박의 계절은 그냥 지나쳐버립시다.
그렇지만 다시 오는 수박의 계절에는
당신에게 선택받은 맛있는 수박을 함께 먹고 싶소.

어설픈 이별

그 언덕 위 집에는 우리들의 보물이 있었네.
그곳이 바로 나의 에덴이요, 천국이었네.
생각만 해도 온갖 시름을 잊게 하는 낙원이었네.
그곳을 떠나 사파砂波에 나래를 내리자마자
나는 또 그 언덕을 바라보며 그대를 그리네.

가슴속 깊이 감추어 놓았던 수많은 사연, 말들을 잊은
채. 텅 빈 가슴으로 다시 만날 기다림으로 마음 졸이며
돌아서네. 마치 할 말 잊은 것을 할 말 다 한 양
착각하고 돌아서네.

아직 그대와 헤어지는 것에 익숙해 있지 않은 탓에
이별을 떠올리기만 해도 눈물이 앞을 가려
늘 그렇게 싱겁게 돌아서는 나에게 그 다 못한 말을
언제 말할까 뇌까려보네.

그대도 내 맘을 읽고 있을 테니 못다 한 사연을 가슴에
묻고 기쁨으로 그대를 기다릴 테요
이 세상을 다 준다 해도 바꿀 수 없는 그대이기에
나는 기꺼이 기다리며 웃을 수 있네

어제 보낸 소포

어제 보낸 소포는
모두 비싸지는 않지만 가치 있는 물건들이요

돋보기
허구한 날 컴퓨터를 찾아 헤매다 보니
눈인들 아니 피로하겠소
그러니
할미의 눈을 도우려 갑니다

허리띠
소녀같이, 숙녀같이, 때로는 노숙하게
모양도 내면 좋겠소
그러니
할미의 허리에도 포인트를 두시구려

원두커피
너무도 향이 그윽하기에
차마 다 못 마시고 향이나마 나누려 하오
그러니
할미의 벗님과 함께하며 우아하게 마시구려

축복이란 이름의 꽃

하늘이 맑고 햇살 좋은 날
막 피어오르는 싱그럽고 향기 좋은 꽃처럼..
밝게 웃는 그대 모습을
오랜 동안 보고 싶습니다.

내 마음에 그리움이 가득 채워졌을 때
그대의 얼굴이 선명하게 보입니다.
이 순간만큼은 기쁨에 어린아이처럼
팔짝팔짝 뛰고만 싶어집니다.

그대가 웃는 웃음은
내 삶에 행복이란 이름으로 피어나는 꽃입니다.

그대의 하얀 얼굴 가득한 웃음은
내 삶에 축복이란 이름으로 피어나는 꽃입니다.

그대가 나를 보고 웃고 있을 때..
내 가슴에 가득한 사랑부터 고백하고 싶어집니다.

오늘은 우리 님이 돌아 오는 날

오늘은 우리 님이 돌아오는 날
언덕 위에 올라가 먼 길을 바라보며 가다릴까나
강변에 앉아 옛 나룻배 길목이라도 지킬까나
목 놓아 기다리고 있노라고 외쳐라도 볼까나
그리라도 님을 볼 수만 있다면 어디인들 좋겠구먼

오늘은 우리 님이 돌아오는 날
님이 어디 쯤 올까 눈은 높은 구름 되어 바라보네
님이 부르지나 않을까 귀는 바람 되어 흘러가네
날라 오는 저 새는 알고 있지 않을까 물어보네
그리라도 님 소식을 듣는다면 무엇인들 되겠구먼

오늘은 우리 님 돌아 오는 날
그 목소리 낭랑하게 들려오는 순간을 그려보네
그 화사한 웃음을 머금은 얼굴을 그려보네
이리라도
님을 볼 수 있다면 수만 번 그려도 그리겠구먼

그만하면 됐다

언제나 그랬듯

끝없이 푸른 하늘입니다.
그대 모습 비춰질 것만 같아
가던 발을 멈춥니다.

뭉게구름이 흘러옵니다.
그대 모습 있을 것만 같아
손 흔들어 봅니다.

산들바람이 불어옵니다.
그대의 속삭임이 들릴 것만 같아
심호흡을 해봅니다.

보슬비가 내립니다.
그대의 손길인 것만 같아
양팔 벌려 안아 봅니다.

어둠이 덥혀 옵니다.
그대 어디엔가 숨어 있을 것만 같아
목 놓아 불러봅니다.

언제나 그랬듯이
그대는
오늘도
나와 함께 합니다

오늘도 내 곁에서

세찬 비가 오는구려

마음속까지 시원히 씻어낼 듯한 복더위의 단비요

아마도 당신의 간절한 소망이 이루어져

땅 위의 더위를 식혀 내리나 보오.

빗방울 하나하나가 당신의 간절한 마음이겠지요

창문을 두드리는 힘찬 소리는 당신의 노래이겠지요

기다리면 기다리는 대로 응답하는 당신이니까요

비였으면 하고 기다리면 당신은 비 되어 오고

바람이었으면 하면 당신은 바람이 되어

씻어주고 어루만져주오.

그렇듯

당신은 나의 기다림이 되어 나를 지키고 있소

당신은 내가 바라면 그리되어 내 곁에 있소

오늘은 당신이 비이고 바람이었소

그렇게 오늘도 내 곁에서

이 순간이 사랑이요, 행복이요

그 길고 긴 세월을 찾아 헤매던
행복이란 것을
나는 이제야 찾았네그려

그 많은 시간 속에서도 보이지 않던
사랑이란 것을
나는 이제야 보았네그려

사랑하는 이와 마주 앉아 서로의 늙어가는
얼굴을 미더워할 수 있다면 행복이겠지
향기로운 차가 없더라도 살며시 손을 잡고
서로의 마음을 읽을 수 있다면 행복이겠지

이쁘게 내걸린 상점의 물건을 보며
당신 생각을 하며 사고 싶다면 사랑 일게요
먹음직스러운 음식을 앞에 두고
차마 당신 생각에 머뭇거린다면 사랑 일게요

믿음직한 아들, 며느리 자랑하고 싶고
어여쁜 딸, 귀여운 손주가 보고 싶고
잠시 떨어져 있는 당신이 이토록 보고 싶다면
이는 사랑이요, 그 순간이 바로 행복이네그려

그 길고 긴 세월을 찾아 헤매던
행복이란 것을
그 많은 시간 속에서도 보이지 않던
사랑이란 것을
나는 늘 누리고 있었네그려

사랑하는 당신이 있어
이 순간이 바로 사랑이요
영원으로 이어가는 행복이었네그려

인간의 욕심

아직도 마음은 떠난 당신과 함께인데,,,

하루가 바람결에 날아가듯 지나갔네요.

이렇게 빠르게 지나가는 것이 세월이라는 것을

보내고 나서야 아쉬워하니 못쓸 버릇이네요.

그러면서도

한 켠의 마음은 벌써 여기에 머물러 있으니

이런 간사함의 변명은

끝없는 인간의 욕심인가요.

일요일이면

언제부터인가 일요일이면 청소를 하오
무언가를 하여야 한다는 막연한 생각에
무작정 대청소를 시작하오

평일이면 할 일이 없더라도 평일이라는 위안 때문에
책 읽고 텔레비전 보는 것마저 일로 착각한다오
일요일이면 떠도는 구름 보며 그대 생각에 잠겨보오

그러다 흠칫 제정신 차리고
청소라도 하며 집주인 행세나마 해보는 거요
공연히 무엇이든 하며 바쁜 척이라도 해보는 거요

삼천리 방방곡곡 다 치웠어도 미련이 남아있네요
구름처럼, 바람처럼 그대 곁을 스쳐라도 보고 싶네
비라도 되어 예전에 노니던 곳을 흘러가 보고 싶네

오늘도 삼천리 방방곡곡을 깨끗이 청소하오
바쁘게 새로운 일주일의 준비를 시작한다오
그리고
밤이 오면 그리운 당신 꿈속에서 만나야지

장대비가 내게

생각지 않던 장대비가
나를 일깨우네
어디서 무엇을 하고 있는지
모두가 몰려와
창문을 두드리며 묻고 있는가?

답할 틈도 없이 대낮에
불 밝히면 큰 소리로
거기서 무얼 하고 있는지
어서 나와
답하라고 재촉하고 있는가?

멀리 먹구름 위로
당신 얼굴 살짝 내밀어
정다운 미소 머금고
나 여기서 무얼 하고 있는지
물어보고 있는가?

추억의 흔적

태풍이 지나간 후의
고요함 속에 들려오는 바람 소리처럼
나직하게 혹은 거세게
당신의 그리움이 귓전을 흔듭니다.
흘린 땀을 찬물에 씻어내면서
그리움이 씻겨날까, 날아갈까 걱정합니다.

꿈속에서 머리를 깎으며
당신을 생각나게 할 그리움의 흉터를 만듭니다.
하루에 몇 번이든 그것을 볼 때마다,
만나는 사람들이 그 이유를 물을 때마다
당신 생각이 다시 진해지겠지요

만났던 아름다운 추억은 흐릿해지고
다시 만날 날은 까마득한 훗날 이야기인데
아쉬움과 그리움 속에서
지워지지 않는 추억의 흔적을 그려 놓았소

하루를 마치며

슈퍼 출구를 쏟아져 나오는 아낙네들
손에 손에 무언가를 한두 봉지씩 들고는
종종걸음으로 자기 집으로 향하고 있다.

된장찌개 거리라도 사 들고 가는가?
해물탕이라도 준비하려는가?
맛있는 과일 파티라도 하려는가?

발걸음도 가벼운 걸 보면 필시 좋은 날일 거야
노상 늦는 남편이 모처럼 일찍 오는 날인가?
딸 애인이라도 집에 초대한 날인가?

좋은 친구들이라도 불러 모은 날인가?
먼 데서 아들 내외가 손주를 데리고 오는 날인가?
어머니 병환이라도 다 나아졌는가?

아낙들이 마음 바쁘게 집에 다 달면
사랑이 담긴 물건 하나하나를 소중히 씻고 닦아
맛있는 된장찌개도 만들고 해물탕도 만들겠지

온 가족 둘러앉아 사랑을 먹고 있을 테지
얼굴을 마주하며 내일의 희망도 먹을 거야
그리고 하루를 마치며 서로의 그리움을 맛보겠지!

함께 걷는 길

함께 걷고 싶구려
숲이 우거진 오솔길이라도 좋고, 강변 둑길도 좋고,
아파트 단지 정원이면 어떻소

한 모퉁이 돌아서면
그럴듯한 찻집이 있어 그대의 피로한 몸을 쉬게 할 수
있으면 더욱 좋겠구려
구수한 차 향기와 함께 그대의 나지막한 웃음소리
들으면 더욱 좋겠구려

걸려 있는 석양빛에 물든 그대 얼굴
처음 만나 설레며 보던 바로 그 얼굴
이대로 십 리도, 아니 백 리를 걸어도 좋을 거요
지나간 깊은 시름 한 번에 지워질 거요

그대의 목소리 산울림 되고, 그대의 낮은 웃음 메아리
되어 내 가슴을 두드릴 거요
기쁨에 넘쳐 어디를 걷고 있는지도 모를 거요
언제까지라도 그렇게 함께 걷고 싶구려

간밤에 온 비

간밤에 온 비가
온 세상을 말끔히 청소했네

파란 하늘에는
어제 그린 그대 얼굴은 없고
웃음 짓는 입술만 남겨놨네

하늘이 바다 건너
코끝에 걸려 있으니
그대 있는 안방마저 보일듯하네

한없이 쓰다 또 쓴
나의 편지 조각이
빗물에 씻겨 그대에 닿으려나

창문을 엿보던 빗방울이
나의 이런 모습 그대에게 전하려나
다음 오는 비에 그대 음성 들리려나

공기처럼 그림자처럼

우리는 셈법을 모르면서
사랑이 많다고 행복하다 하고
사랑이 적다고 슬프다고 하오

사랑은
사람 사귀듯, 삶을 살 듯
지내보고야 아나 보오

아들이
당신의 사랑을 모른다 해도 성내지는 마소
딸이
당신의 사랑을 모른다 해도 서운해하지는 마소
며느리가
당신의 사랑을 모른다 해도 실망하지는 마소

지금은 비록 모른다고 하여도
당신은
당신의 자리를 지켜야 하오. 공기처럼
지금은 비록 불편하여도
당신은
당신의 사랑을 버리지 마오. 그림자처럼
그들도
우리처럼 지내보면 알게 될 거요
우리처럼 지내 놓고 후회할 거요

결국
사랑은 삶처럼 지내보고야 알게 되고
사랑은 삶처럼 지내 놓고 참회하면서
받는 동안은
사랑은 그림자처럼 있는지를 모르고
사랑은 공기처럼 고마움을 모르는가 보오

그놈이 밉더라도

그놈이 말 안 듣고 살아왔으니
오히려 나 보란 듯이 더 잘 살았으면 좋겠어.

그놈 인생 앞으로 더 긴 세월 남았으니
지난 세월 아까워서라도 더 잘 살았으면 좋겠어.

그놈이 지금까지 잘못한 일 많으니
지난 일 배로 갚으며 더 잘 살았으면 좋겠어.

앞으로 그놈들이 잘못을 뉘우쳐서
한 점의 미움도 없이 더 잘 살았으면 좋겠어.

그놈이 삶을 고쳐가며, 길들여져
옛말하며 꼭 그렇게 더 잘 살았으면 좋겠어!

그놈이 그리되도록 우리가 도와
우리가 만들어 가며 더 잘 살았으면 좋겠어.

할매가 되었다네

순박한 영동 소녀가
할매가 되었다네.

그 소녀는 산통産痛에 힘들어 하는
며느리를 안스러워 하다
어느새 할매가 되었다네.

그 소녀는 할배를 기다리며
보고픈 손녀를 아직 못 본 채
하룻밤 새 할매가 되었다네.

그 소녀는 손주가 얼마나 예쁠까
밤새도록 혼자 생각하다
정말 할매가 되었다네.

순박한 영동소녀는
그렇게 할매가 되었다네.

그대가 낙원인 것을

지금쯤 직지사 오름길에는
무슨 꽃이 만개했으려나?

꼬불꼬불 남한산성 산길에는
진달래 개나리가 반기겠지.
확트인 양평 가도에는
강 내음이 물씬할 게야.

잘 가꿔진 한강변도 좋을 게야.
해질 무렵 온가족이 손에 손잡고
고기 잡는 사람에
뜀박질하는 사람에
사랑을 속삭이는 사람에
그런 사람 구경하는 것도 좋을 게야.

그저 방안이라도 좋겠어.
온 가족이 모여 앉아
웃음보 터트리면.
바로 그곳이 낙원인 것을!
그대가 있어 낙원인 것을!

함머니

할미는
손자를 만지면 터질세라
불기라도 하면 날아갈까
조심조심 앉고, 업고 손잡고, 딩굴며
시간 가는 줄을 모른다.

할미는
손자가 잠시라도 무료할세라
잘못하여 울기라도 할세라
노래하고 춤추고 흉내 내며
어설픈 어릿광대가 된다

할미는
손자의 노래에 춤 솜씨에
하나 되어 노래하고 춤춘다

할미는
손자의 "함머니①" 하고 부르는 소리에
온갖 시름을 잊는다

---

① 손주가 할머니 발음이 안 되어 부르는 명칭

자기들의 인생이니까

당신은 세상에서 제일 행복한 사람이요!
아들이, 딸이 알아주는 사람이니까,
그것으로 된 거요.
더 이상을 바라는 것은 욕심이겠지.

들에 핀 민들레는 꽃씨를 바람에 날려 보내며
그놈들이 무사히 살기를 빌 뿐이요
그것으로 된 거요.
그로써 자기의 일은 완수가 되었으니까,

젊음은 무지의 시기이고 모험의 시기입니다.
또 그만큼 어리석음의 시기입니다.
먼저 경험한 우리가 이해하고 받아줘야 할 거요.
그들도 늙으면 우리처럼 그날들을 후회할 테니까.

민들레처럼
먼 발취에서 힘내라고 응원하는 거요.
때로는 부족함이 보이더라도 내버려 두는 거요.
대신 살아 줄 수 없는 자기들의 인생이니까.

엄마의 마음은

엄마의 마음은/늘 불안하고/늘 불만스러웠을 게다.
너무 귀중하니/바라는 기대가 크니/나가 있어도/ 곁에
있어도/마음 편한 날 하루도 없었을 게다

그것을 알 리 없으니/벗어날 틈새 엿보며/
언제나 엄마 곁을 맴돌며/속께나 썩였을 게다

엄마와 만날 수 없는/먼 이별을 한 후에야/그것도/ 예쁜
손주를 본 이제야/엄마의 마음이 보일 듯/ 엄마의
손길이 곁에 있는 듯하다

그때 바쁘다고만 하지 말고/'엄마 미안해요'를 덧붙일
것을/따끈한 순대국이라도 사드릴 것을/다정히 손잡고
산책이라도 할 것을

그때 계산만 하지 말고/엄마가 어렵사리 한 부탁/잔고가
얼마이든 통장째로 드렸을 것을

사치하고 값진 물건 아니라도/ 많은 시간과 돈이
아니라도/ 따뜻한 말 한마디/ 정다운 눈길 한번/
다정하게 손 한번 잡아보지 못한 것을/
할애비 되어서야 후회를 하는 게다

그토록 아프도록 귀하고/ 터질듯 사랑스러운
새끼로부터/ 따뜻한 말 한마디/ 정다운 눈길 한번/
사랑의 손길 한번을/
아빠의 엄마는 그토록 기다리고 있었을 게다

엄마의 카톡

엄마는 어제 외제 고급 가방 하나를 아들한테 선물
받았다. 그렇게 비싼 가방은 처음이라더니 포장을 씌워
놓은 채로 테이블 위에 놓여 있었다.

엄마는 혹시 먼지라도 묻을까 포장을 풀어 놓기가
아깝단다. 모셔 놓고 보기만 해도 기분이 좋은데
언감생심 어딜 들고 다니랴 은근히 걱정이다.

오늘 아침 카톡이 왔다.
그 가방을 어디 두었는지 모르겠단다. 한참을 기다리고
있으려니, 찾았다고 연락이 왔다.
혼자 생각했다.
원래 갖고 싶어 하던 디자인은 몇 배나 비싸다고 하더니
그걸 샀다면 아예 금고에 넣어놓고 보기도 아까워했겠지.

돈이 없어서가 아니고 자기의 사치는 언제나 끝
순위였기 때문이리라. 사양하고 또 사양하더니 못 이기는
척 받았다.

생각하면 미안하고, 눈물이 난다.
엄마의 자존심을 핑계로 여지껏 미루고 못한 일이다.
아들아, 고맙다.

손주가 오는 날

할매는 손주가 오는 먼 길모퉁이를 보고 또 본다.
그놈이 좋아하는 음식 만들기에 손길이 바빠진다

'함마나②'하고 활짝 웃으며 달려들 손주를 그린다.
마음은 벌써 그놈의 손에 끌려
꽃놀이도 하고 물놀이도 한다.

할매는 가슴에 그득하던 실음 다 잊고
손주가 올 길모퉁이를 보고 또 본다

② 아직 발음이 잘 안 되어 할머니를 손주가 부르는 명칭

만두국

정말 맛있었다. 며느리가 정성들여 빚은 만두에 시어미의 관록이 더해져서 맛있게 끓여진 만둣국, 일품이었다.

큼직한 만두에 적당히 간이 맞는 김칫소가 입맛을
돋우는 비밀이었을까?

진하고도 담백한 국물과 알맞은 고명이 맛좋은 만둣국의 비밀이었을까?

아마도 두 명인의 마음 합작이 명품을 만든 것이겠지!

손맛에, 사랑 맛을 합치면 바로 그 맛이겠지!

어미는 울보였다

나면서 울고
기르면서도 줄곧 울었다.

너무 예뻐서 울고 말하는 것이 대견해서
하는 짓이 자랑스러워 어미는 울었다

말 안 듣는다고 때리고 울고
조르는 것을 다 못 해줘서 울고
참는 것이 안쓰러워 울었다

밤새워 공부할 때도 울고
세상모르고 잘 때도 울었다
너무 하면 아들 몸 생각해 울고
너무 안 하면 잘못 될까 울었다

장가간다고 할 때도 기뻐 울었다
어른 된 아들보고 장해서 울고
이제 품의 자식 아니려나 서운해 울었다
둘이 사이좋게 잘 사니 좋아서 울었다

며느리 사랑하는 재미에 또 울었다
사준 옷 입혀보고 며느리 예뻐서 울었다
반찬 맛있다는 예기에 흐뭇해서 울었다
아들의 사랑이 모자랄까 조바심에 울었다

배부른 며느리 보고 힘들겠다고 울고
분만할 때 며느리 고통 생각하며 울었다
손자 끌어안고 너무 예뻐 한없이 울었다
어른 된 아들, 며느리 대견해서 울었다

아들의 발전을 기원하며 둘이 늘 행복하기 축원하며
예쁜 손자 잘 크기 바라며 지금도 어미는 울고 있다

아들 며느리가 어미의 마음을 아는지 모르는지
어미는 아직 아들 며느리를 위해 이렇게 울고 있다.
남모르게 울고 있다.

어미는 울보였다
나면서 울고
지금도 줄곧 울고 있다

부부의 힘

남편, 아내로서
아빠, 엄마로서
기쁘기도 하고 힘도 들고 당황스럽기도 하겠지.

둘이 셋이 되면
삶이 풍성해지고
삶의 의지를 불태우는 전사戰士로 되어 간다.

짐을 분담하고,
슬기롭게 의논하고,
지나온 각자의 다른 삶을
감성보다 이성으로 풀어 가자.

정해진 해답이 없으니
둘이 머리 맞대고 풀며 살 보람이다.
그것이
부부의 힘이다.

고추고기 이야기

고추 고기는 우리 집 전통음식
누가 먹어도 맛있는 음식/ 언제 먹어도 질리지 않는
음식/ 네 할머니가 잘 만드신 음식/ 네 엄마가 빠뜨리지
않는 음식/ 얼마나 어떻게 배웠는지/ 원조 보다 더
맛있게 만드는 엄마의 고추 고기

나는 안다 그 비밀을/ 함께 새둥지를 튼 나에게/ 집의
맛을 계속 지켜주려는/ 네 엄마의 정성담긴 끈질긴
노력이다

너희에게도/ 할머니의 맛을 계속 보여주려는/ 네 엄마의
사랑 담긴 아름다운 작품이다

그 안에/ 할머니가 있고/ 내가 있고/ 너희가 있단다
그 맛에/ 행복이 스며있고/ 그리움이 담겨있고/ 가족을
위한 사랑이 있단다

딸아/ 너도 사랑하는 남편을 위하여/ 또 아이들을
위해서/ 하나쯤 그 댁의 전통음식을 만들어 보렴
진정으로 시댁과 남편을 사랑하는/ 며느리가 되도록
노력해 보렴

음식을 만들며/ 즐거울 수 있다면/ 그리울 수 있다면/
사랑할 수 있다면/ 그것은 음식이라기보다 작품이겠지

음식을 먹으며/ 반가울 수 있고/ 행복할 수 있고/
눈물을 흘릴 수 있다면/ 그것은 음식이라기보다 차라리
사랑이겠지

너는 영리하고 손재주도 있으니/ 무엇이든 너무도 잘 할
거야/ 하지만 꼭 기억해야 할 것은/ 가족이 제일
맛있어하는 음식은/ 먹어도 먹어도 질리지 않는 음식은/
늘 즐겨 먹던 엄마의 음식이겠지

외국 새댁이/ 매워서 눈물 흘리며 김치 만들 듯이/
가족이 이 맛이라고 할 때까지 맘졸이는/ 그런 겸허한
며느리가 되어야겠지

고추 고기를 먹으며 새삼 딸에게 당부하고 싶구나
엄마처럼 사랑을 요리할 수 있는 며느리이길 바란다
질리지 않는 음식을 만들 수 있는 아내이길 바란다

그 음식을 먹을 때마다 엄마를 그릴 수 있는 작품을
만들기 바란다.
네 엄마의 고추 고기처럼 말이다.

때가 되면

아픈 마음, 안쓰러운 모습
미덥지 않은 구석을 사랑으로 덮었구려.
그게 쉽지 않았을 거요

윗사람으로서 일깨워 주고픈 말
사랑하니 꼬집어 줘야 할 말
되지 않게 멋대로 하니 미운 마음

말을 아끼고 참고 기다리며 나를 버리고
스스로를 돌아보기 쉽지 않았을 거요.

누구보다 사랑하는 것들
미래의 우리의 모습일 내 새끼들이기에
오히려 먼저 자기를 가다듬는 당신
그게 쉽지만은 않았을 거요

철들면 어미의 그 정성 알게 될 거요
필경은 뼈아픈 그대의 사랑을 알게 될 거요.
당신은 역시 행복한 사람이구려.

꽃 보러 간다

딸이 유학 가서 빈방이 내 차지가 됐다.
딸은 졸업하여 취직하고 결혼하여 엄마가 됐다.
긴 세월이 흘렀다.

화상 통화하니 먼 곳에 떨어져 산다는 느낌도 없다.
그러나
딸래미 쓰던 방 창가에 봄마다 피는 꽃이
사위, 딸, 예쁜 손녀의 웃는 얼굴을 대신해 준다.

나는 야
오늘 또 꽃 보러 간다. 얘들아

무엇을 남길까

이 땅 위에 잠시 머물다 갈 건데
이렇게 만만치 않은 일만 펼쳐져 있단 말인가!

흙 위를 기는 미물微物 지렁이도
하물며 그 자국은 남는데

눈물 흘리며 사람으로 태어난 난
앞으로 어떻게 살아야 할까?

자식들에게 그 무엇을 남기고 가야 하나!
열심히 진실하게 살아가면 그 흔적이라도 남을까?

그래서 어쩔

911

오늘이 911테러 19주년.
세월이 빠른 건지, 남의 일이라 잊고 사는 건지...
그날의 참변을 되새겨 본다.

3천에 가까운 인명을 일시에 앗아간 끔찍한 사건...
세계적으로 진행중인 살생극
우한 폐렴 테러는 어찌하랴!

이를 이용하는 정치꾼들의 행태는 용서가 될까!
필요불가결한 정치가 밉다.
정치의 제물이된 무고無故한 인명에 명복을 빈다.

2021 만우절

오늘이
4월1일、만우절이다.

예전에는
그럴듯한 악의 없는 거짓말들이 웃음을 자아냈다.
진짜 같은 거짓말...

그러나
이번 만우절은 거짓말처럼
그런 거짓말이 한 편도 없다.

아마도
진짜 거짓말들이 가짜인 양 너무 난무하니
기념적 만우절이 멋쩍어 숨었나 보다.

이젠
일 년 365일이 만우절이다.

사대주의

북한은

일본이 백년의 적(敵)이라면,

중국은 천년의 적이라고 생각한다?

한국은

일본의 백년 머슴이라면,

중국은 천년 머슴이라고 생각한다?

고로

한국은 반일, 항일을 외치며,

중국에 붙어 자기의 존립을 유지하려 한다?

일상의 자유를 그리며

사람이란 못하게 하면 더 하고 싶고, 가리면 더 보고
싶은 것이 본능이 아닐까.

우한 폐렴을 모르던 때에는 보고 싶고, 가고 싶은 곳을
외부요인 때문에 삼가할 일은 없었다.
지금 우한 폐렴 때문에 바깥출입을 자제 당하고 있다.
그래서 아무 생각 없이 하던 일상이 더욱 그리워진다.
마치 몸의 어딘가를 묶여 자유를 상실한 느낌이다.

변함없이 출퇴근하며 일은 하지만 이런 틀을 벗어나
어디를 가거나, 사람을 만나는 것은 일단 고려를 해보는
새로운 습관이 생겼다.
기존의 약속도 미루어야 당연히 할 배려를 하는 것 같은
느낌이다. 그러니 새로운 만남은 당연히 없다.

이런 기간이 길어지면 정치, 경제, 사회적으로 많은
변화를 초래하리라는 지적 계산 보다도 이런 상황을
견뎌내는 사람들의 인내 한계가 언제일까 하는 인간적인
생각을 해본다.

조용한 중국의 종말

미국과 중국이 격하게 대립하고 있다. 이는 민주주의와
전체주의의 대립이요. 개인주의와 종교자유를 바탕으로
한 해양 문화와 전체주의를 앞세워 개인의 자유를
억압하는 문화가 정치, 경제를 넘어 전면전 양상으로
심화하고 있다.

중국은 자국의 이익을 위해 무엇이든 한다.
약소국에게 지원을 위장僞裝하여 정치인과 이권을
매수하여 지지세를 늘려가며 세계공장의 위세로
무역체계를 겁박한다. 자국을 위해서라면 타국의 영토,
바다, 문화 모두에 시비를 건다.

중국은 음흉한 불실본색不失本色으로 세계 각국의 적국이
되어가고 있다. 중국은 자기도취 되어 있을 뿐 자기들
생각처럼 힘도 신뢰도 없다.

이제 중국은 홍콩, 위구르, 티벧, 북한을 거느리기도
버거워진 것은 아닐까?
중국이 그토록 염원하는 대만 통합은 가능할까?
자신과의 힘겨운 싸움의 종말이 오고 있다.

AI 시대

AI 시대가 성큼 닦아 왔다.
무엇이든 물으면 알려주고,
글도 쓰고, 그림을 그리는 등 창작활동을 한다.
마치 생각하는 그림자 인간 같다.

신문의 활자를 철석같이 믿던 시대가 있었다.
사진이라면 더할 나위 없는 진실이라고 믿었다.
지금 그런 매체를 곧이곧대로 믿어도 될까?

이런 대낮 같은 세상에,
아직도 지구가 평면이라고 믿는 사람이 650만여 명이나
있다고 한다. 국민을 개돼지 취급하며 못살게 해도
지지하는 멍청이도 많다. 같은 단어를 사용해도 해석과
용도가 다른 세상이 되었다.

AI가 못된 인간에 의해 의도적으로 학습되면 어찌 될까?
사람도 학습으로 삐뚤어진 채 평생 그렇게 살기도 한다.
AI든 사람이든 어떤 학습을 받는지가 문제 되는
시대이다.
인간의 할 일이 하나 더 추가된 것은 아닐까?

이렇게 보내다니...!

또 한 주가 멀어져 가네요.
이러지도 저러지도 못해 보고
속절없이 시간이 흘러갔네요.

가냘픈 희망 한 줄기,
그것은 언젠가 바람처럼 찾아올
마음의 자유 아닐까!

묶이지 않았지만 발목 묶인 듯,
잡히지 않았지만 소매 잡힌 듯,
하루 24시간 모두 내 것이련만
누구에게 지시라도 기다리듯.
막연히 마냥 기다립니다.

이 또한 지나가리라 생각하고
그냥 이대로 보내기는 아쉬운 하루

경험 못한 세상

경험하지 못한 세상은
마치
눈 가리고 물건 맞추기.

당하는 자는 두렵지만
내용물을 아는 자는 재밌다.

'눈 가리고 아옹' 이란
마치
아는 자가 모르는 자에게
눈 가리고 물건 맞추기 하며
재밌어 하는 짓거리다.

경험하지 못한 세상은
아는 자들의 재밌는 세상이다.
그래서 그들은
세상을 향해 '눈 가리고 아옹' 한다.

법 없이도 사는 사람 어디 없소?

법 없이도 사는 선량한 사람
그런 국민은 많지만
제 잘난 맛에 사는 정치꾼들에게 질렸다.

그들 중심에 국회가 있다.
그들은 집단이익에 맞도록 법으로 위장한다.
멋대로 특혜, 철통 특권도 만들었다.

무소불위無所不爲 국회의원을 탄핵할 수 있고,
국회를 해산할 수 있는 법은 누가 만드나!
국민은 뽑아 놓고 그들에게 휘둘리고 있다.

국민은 법法 없이도 살 수 있다는데,
그들은 가증可憎스럽게도 법을 가장假裝하여 저들의
세상을 늘리고 불리고 있다.
다음에는 정신 차려 뽑아 손가락 자르지 말자.

기생충

기생충이 박수를 받을 수 있을까?
바이러스가 환영을 받을 수 있을까?
그들은 인간을 숙주로 해서 살아간다.
결국은 숙주인 인간을 쓰러트린다.
바이러스가 창궐하고 있는 이때,
누가 내심 박수를 치며 환영할까?
그렇다면 그들은 인간의 적敵일 것이다.
화제가 된 영화 '기생충'을 감상하며,
방구석에서 부질없는 생각을 해 본다-

꽃길은 모두 막혀 있다

꽃길은 모두 막혀 있다.
우한 폐렴을 피하기 위한
사회적 거리두기라고 한다.

진정 그렇다면
전철은 어쩌고, 버스는 어쩌란 말이냐.
모든 일상을 중단해야 맞다.

정작 그렇게 하지도 못하면서
위한답시고 생색내며, 여기저기 막는다.

매일 산책로 걸으며
눈웃음 주고받던 작은 꽃님들도 생이별이네.
마나님이 닮고 싶은 민들레도
아직 통성명을 하지 못했네.

이 모진 무심한 세월도 흘러
반갑게 만날 날 멀지 않으리라.
그날을 기다리며 설렘을 숨긴다.

대한의 주인들이여!

전국민을 편히 놀고 먹게 하겠다면,
대통령 후보로 지지하는 국민이 있을까?

권력을 이용한 상습적 도둑이라면,
그 패거리가 국민의 신임을 받을까?

중국과 북한에는 종교의 자유가 없다.
그래도 공산주의 추종追從 종교인이 있을까?

과학의 발달만큼 도둑질도 발전했다.
그래도 투표 피싱phishing 걱정되지 않을까?

양심 없는 정치꾼은 달콤한 말만 앞세운다.
속고 난 후에 손가락 자른들 자손은 운다.

동물적 먹거리

동물은 먹을 것이 풍부하면 다투지 않는다.
그러나,
인간은 풍요하면 더 차지하려고 먹거리를 찾는다.

조폭의 지배구조를 어설픈 정치꾼들이 흉내를 낸다.
그래서,
지배 서열이 잡힐 때까지 어지러울 수밖에 없다.

역사는 침묵하는 수많은 군중이 일깨우길 바란다.
그렇다.
종국적으로는 그들이 역사의 주인공이기 때문이다

너도 나도 그저 웃자?

사람은 아는 것만큼 보고, 사람은 보고 싶은 것만 보고,
사람은 듣고 싶은 것만 듣고,
그렇게
자기에게 만족하며 산다.

사람은 알지만 모른 체 하기도 하고
사람은 모르지만 아는 체 하기도 하고
사람은 진실에 반하여 이익에 따르면서
그래도
세상을 향하여 내 탓이 아니라고 한다.

지금은 열린 세상이라 무엇이든 알 수 있다.
그래도 마음을 닫고 아는 것만 믿는 바보도 많다.
그래서
더 많은 바보를 만들려고 편파왜곡 보도를 한다.
그들은
모른 체하고, 입 다물고 있으면 진짜 바보로 안다.

설마 설마 하며 똑똑한 바보는 웃는다.
그럼 그렇지 하면서 조종자는 비웃는다.
바보는 뭔지도 모르고 웃는다.
어쩌랴!
진실을 아는 자者는 어이없어 웃는다.

민주주의 안녕한가?

민주주의는 여론이 주도한다.
그런데
여론을 조작할 수 있단다.

후보 선별에는 공약이 중요하다.
그런데
당선 되고 나면 헌신짝처럼 버린다.

옛 선거에는 돈, 음식, 어설픈 인맥의 무대였다.
그런데
요즘 선거에는 양심을 버린 양아치의 무대이다.

정치세력과 미디어가 결탁한다.
그렇다면
민주주의는 이대로 망가지고 마는가!

베이징 올림픽

겨울이건만
미세먼지 걱정 없는 나날이다.

오호라!
베이징에서 올림픽이 열린단다.

손님맞이 하려니
이것저것 단속의 문도 활짝 열어서

부디,
우한 폐렴도 잡고, 미세먼지도 꽉 잡아줘라!

살맛나는 세상이란

살맛나는 세상이란,
정의가 살아 있고 사랑과 배려가 있어 인간미가 살아
숨쉬는 따뜻한 세상일 것이다.

부정과 위선이 난무하는 어지러운 현실이다.
주관 없이 시의時宜에 따라 이익에 영합하여 말을
바꾼다. 잘못이 명백해도 그럴듯하게 우기고 버틴다.
옥(獄)살이 끝내고 나오면서도 무죄란다.

유식으로 위장한 철면피들인가?
이전의 정치꾼은 국민의 질책에 반성도 하고 포기할
줄도 알았다.
그렇다면
지금의 정치꾼들은 살맛나는 완숙完熟된 세상의
기생충인가?

아름다운 그 하늘

가끔은 마음을 비우고
잊고 살던 밤하늘의 별세상이 보고 싶어진다.

지금 기억나는 하늘은 두 번 정도,
한 번은 아주 어렸을 적 살던 아마도 돈암동 산
동네였다. 마루에 앉아서 보면 밑으로는 사람 사는
세계가 보이고, 위로는 무수한 별들이 반짝이는 머나먼
그런 아름다운 세계가 있었다.

그리고는
피난 가면서 논바닥에 누워 잠을 청하며 보는
밤하늘 가득히 펼쳐지는 휘황찬란한 별세상이 있었다.

그동안 하늘을 못 보고 살았구나!
그 별들을 잊고 살았구나!
지금서야 그때 그 하늘이
'아름다운 하늘'이라고 이름 붙여본다.
마음 비우고, 가슴으로 '별멍'하고 싶다.

우리는 누가 지켜줄까?

북한이 핵으로 무장했다고 으름장을 놓는다.

미군은 철수하라고 북北과 공조하고 있다.

우리 정권과 군軍은 무장을 스스로 해제하고 있다.

북의 모욕을 감수하며 더 못 줘서 안달이다.

이런 것이

정권 뜻대로 다 이루어진다고 가정해 보자.

그때 기꺼이 북한에게 우리를 몽땅 내어줄까?

그때서야 자유우방에게 지켜달라고 매달릴까?

우리는 누가 지켜줄까?

빚지고 못산다

세상이 온통 권력에 아부하고 있다.

심지어 코로나 바이러스 너마저도?

권력에 반대하는 모임에는 인원수와 관계없이 전파된다.

친親 권력적 집회에는 수만 명이 모여도 전파력이
없단다!

바이러스도 권력에 빚을 많이 진 모양이다.

샌프란시스코에서

2019년 12월, 서울은 여전히 날씨가 춥다고 한다.
이곳 샌프란시스코는 우기雨期라서 그런지 날씨가
들쑥날쑥하며 마치 한국의 늦가을 날씨이다.

두부 하나, 사거나, 커피 한잔 하려 해도 차車로
이동해야 하는 불편은 차라리 미국이라 그러려니 하고
익숙해지려 한다.
커피 생각나면 가까운 카페에서 분위기를 즐기며 상념에
젖던 서울의 한 때가 그리워진다.

주말도 아니지만 상가마다 연말세일로 사람이 붐빈다. 이
풍경이 광화문 아스팔트 태극기 물결과 겹치면서
즐겁지만은 않다.

더구나 서울의 추운 날씨에.....

유튜브에서 흘러나오는 소식은 두려움 그대로다.
애국가 가사처럼 '하느님이 보우하사' 우리나라가 만세의
영광 있기를 기도한다.

세상에서 배운다

게으른 사람에게서는 부지런을 배우고,

악惡한 사람에게서는 착함을 배워라.

사랑이 부족한 사람에게서는 사랑을,

나쁜 환경도 반사reflex의 가르침이 있다.

세상 만물萬物이 스승이다

검투사劍鬪士

검투사가 되지 마라.

고대의 검투사는 살기 위해서 싸웠다.

그러나

현대의 검투사는 국민을 희생으로 우쭐대는 정치꾼이다.

국민을 살리기 위해서가 아니면

국민을 검투사로 내보내지 마라.

시간의 흐름속에서

2019 가을

여름이면 기다려지는….
그냥 기다려지는 가을

올해는 특별히 더웠던 여름
달궈진 아스팔트가 채 식기 전에

말 없이 다가오는 서늘함이
대비 없는 아스팔트를 엄습한다.

예년에 마냥 기다리던 그 가을
올해는 그 가을이 너무 두렵다.

짧기만한 가을이 아쉽다.
생각은 벌써 겨울 문턱이다.

방학하던 날

여름방학 좋지요.
방학하는 날,
친구들과 조잘대며 거리를 쏘다녔지요.

개학하는 날도 좋지요.
친구를 만나는 날,
발걸음도 가볍게 등교합니다.

그때 그 모습이 그리워지네요.
그간 삶과 싸우며 잊고 있던 어린 시절

백발이 되어
아련한 추억으로 되살아나네요.

생각만으로도
잃었던 소년의 활기를 되찾네요.

신나게 떠드는 한 무리의 어린 친구들이
어린 나의 방학하던 날을 불러온다.

비 오는 날의 사치奢侈

아스팔트에 튀는 비의 모습 보니 장대비다.
시원하게 쏟아진다.
음악 들으며 저 비를 흠뻑 맞으며 걷고 싶다.
사치한 생각일까?

바람이 불면 길 위에 빗방울이 파도치듯 흩어진다.
비 구경도 할 만하다.
카페 창가에서 비의 생방송을 감상하고 있다.
사치한 모습일까?

우산 속에 어깨를 묻고 종종걸음으로 지나간다.
사람 구경도 나쁘지 않다.
오늘 내일 일 다 잊고 '빗멍' 때리고 있다.
어찌 사치하지 아니 한가!

오직 소망으로

음식을 만들며
맛있게 먹는 이를 생각하며
힘든 줄 모르듯이

옷을 지으며
멋있게 입는 이를 생각하며
시간 가는 줄 모르듯이

물건을 사며
기쁘게 받는 이를 생각하며
쌈짓돈 아까운 줄 모르듯이

편지를 쓰며
안도할 이를 생각하며
외로운 줄 모르듯이

무엇을 하든
담아낼 목적을 생각하며
그토록 지칠 줄 모르듯이

어렵고 두렵고 괴로움이 있더라도
때로는 인내하며 용서하고 기다리며
오직 소망으로 감당케 하소서

왜 이리

왜 이리
무심코 들리는 온갖 소리가 귀에 거슬리나!
상쾌해야 할 초여름 바람마저 을씨년스럽나!
흘러가는 구름의 모습 또한 꼴불견인가!
비 오는 소리마저 나를 쓸쓸하게 하나!

왜 이리
듣기 좋은 소리, 보고 싶은 것이 없나?
입고 싶은 옷, 맛있는 음식이 없나?
만사에 의욕이 없나?

그런데,
왜 이리 좋을까? 멋있다! 신난다!
그대의 이 한마디가
약藥이구려, 맛이구려, 힘이구려!

자연스러움

자연스러움이란
가장 좋은 것이 아닐까….?

힘이 들면 든다고 예기하고
피곤하면 피곤하다고
스스럼없이 예기할 수 있는 것
그것이
자연스러움이고
편안함이 아닐까….?

혼자 있고 싶을 때는 혼자 있겠노라 하고
같이 있고 싶을 때는 같이 있고 싶노라 하고,
혼자 이고 싶으냐고 물어도 보고,
같이 있고 싶으냐고 물어도 보는 것이
자연스러움이 아닐까….?

자연스러움이란
나로부터 자연스럽게 피어나는 것은 아닐까….!

우리 동네 가을 잔치

노란 은행잎 길을 지나면
붉은 단풍길이 반긴다.
옷매무새 가다듬고
가을 파티장에 들어선다.

나뭇가지가 늘어지도록 매달린 감
탐스럽게 알알이 영근 모과
아직도 걸려 있는 토박이 능금
보기만 해도 기분 좋은 잔치 가족이다.

우리 동네 (멋없는 말로 아파트단지) 가을 잔치다.
아파트 높이 보다 더 큰 나무들이 미더운 동네다.
시골스런 매미 소리 대신에 재개발 나팔이 울린다.
철철이 펼치는 잔치에 내년에도 참가할 수 있을까?

숨바꼭질

밤새 모질게 내리던 장대비
아침 하늘을 파랗게 물들였네
금방이라도 쏟아 내릴 듯한 파란 하늘에
솜사탕 같은 새하얀 구름 한 떼
피어나듯 솟아나듯 나에게로 달려오네

장미인 듯, 모란인 듯, 민들레인 듯,
서로가 아름다움을 다투며 흘러가네
토끼인 듯, 사슴인 듯, 강아지인 듯,
어우러져 앞 다투며 나에게로 달려오네

뒤따라 달려오는 한 줌 구름 속에
혹시라도 당신 모습 있으려나
저기 오는 둥근 구름은 당신의 옆모습일까
치솟고 있는 저 구름은 당신의 손짓일까
새롭게 피어오른 구름이 당신 모습 감추었나
나도 덩달아 신바람 나게 숨바꼭질 하네
당신이 꼭꼭 숨어도 어김없이 찾아내지
오늘도 한바탕 당신과 숨바꼭질 하네

새로운 만남

몇 번을 오르내린 산이다.
얼마 만에 가도 낯익은 풍경이다.
이 길로도 저 길로도 가보았다.
눈감고도 갈만한 등산길이다.
등산에 대한 끝없는 나의 자부심이었다.

오늘 정상에서 예전과 다른 구름을 보았다.
그간에는 운동하는 재미로만 오르내렸다.
길섶의 무수한 푸른 생명도 무심히 지나쳤다.

이 나이 돼서야
그 산이 그 산이 아님을 각성했다.
새로운 인생의 발견이고 만남이다.

산은 산이고

산은 산이고 바다는 바다이다
산은 산이어서 좋고
바다는 바다이어서 좋다

때로는
산은 산처럼 근엄하고
바다는 바다처럼 노怒한다

그래서
산은 산같이 말없이 무섭고
바다는 바다같이 한없이 두렵다

그러나
산은 지난 일 바람에 날리고
바다는 아픈 기억 깨끗이 씻는다

그리고
산은 변함없이 높은 지성으로 사랑한다
바다는 변함없는 넓은 마음으로 포용한다

그래서
산은 산이어서 좋고
바다는 바다이어서 좋다
산은 산이고 바다는 바다이다

3월을 맞으며

새해 접어 두 달을 넘겼다.
계절은 어김없이 예정대로 가고 있는데…

우리네 시간은 아직 출발을 미루고 있나?
새싹 틔우는 계절맞이 준비를 하고 있는가?

아침 첫 햇살을 받는 풀잎 이슬처럼,
봄의 왈츠에 몸을 실을 준비가 되었는가?

3월에는 움츠렸던 가슴 펴자.
짙어가는 훈풍에 봄의 기쁨을 날려보자.

많은 것도 병病이였네!

화분에 자란 딸기가 탐스럽게 주렁주렁 열렸다.
모두 빨갛게 익는 날을 손꼽아 기다렸다.
그러나 결과는 후회스럽다.

욕심이 과했다.
모든 열매가 크고 잘 익기를 기다렸으니 말이다.
좋은 결실을 보기 위해서 솎아내기가 필수라는데...
농사의 초보상식을 모르고 욕심을 앞세웠던 것이다.

우리는 아직 여기저기 희망을 걸어놓고
솎아내기를 미루고 있지나 않은지?

매미 소리

매미는 한평생 중 오랜 시간을 준비하고
반짝 빛나게 살다가 삶을 마감한다

기다림 끝에 허물을 벗고
몸과 날개를 펼쳐 짝이 오기를 기다리며 부르는
시원한 숫매미의 구애의 세레나데
우리 동네 여름의 찬가

내년에는
재개발③로 모두가 옛이야기가 되겠지
이 봄이 가면 나도 가야만 하니
언제, 어디서 너를 다시 만날까?
너는 어디에서 사랑노래 부를꼬?

---

③ 구반포 주공아파트 단지의 재개발

9월이 그리워 진다

어느 해보다 더 9월이 그리워지는 것은
이번 여름이 너무 덥기 때문이 아니다.
9월이 오면 여행갈 계획이 있는 것도 아니다.

멀리 갔던 친구가 돌아온단다.
여행계획이 없으면 어떠랴.

9월이 그리워진다.
친구가 보고 싶다.
너무나….

가을이 두렵다

여름이면 기다려지는
그냥 기다려지는 가을

올해는 특별히 더웠던 여름
하지만 가을이 두렵다.

말없이 다가오는 싸늘함이
대비 없는 아스팔트를 엄습한다.

그래도, 예년처럼
마냥 기다리던 가을일까. 두렵다.

그리도 바삐 살았나?

요즘 와서 마음 내려놓고 차분히
하늘을 본적이 몇 번이나 될까 생각해 본다.

애기였을 때
마루에 걸터앉아 쳐다보던 보름달 기억이 생생하다.
피난 가던 중에
논밭에서 잠을 청하며 하늘에 촘촘하던 별이 떠오른다.
그 이후로는 기억에 남는 하늘이 별로 없다.

최근 철이 들어 의식적으로 하늘을 찾곤 한다.
구름과 함께 산책하는 것도 새로운 재미가 됐다.

미국 샌프란시스코의 구름은 너무도 멋지다.
카메라에 담고 또 담아도 아쉽다.
어릴 적 밤하늘 별바다의 그 모습은 어디에 숨었나?
넘쳐도 모자라도 아쉬운가 보다.

금계국金鷄菊

잠시 스쳐 간 바람을 기다리듯

밤새 내린 빗소리를 기억하듯

어제 본 별빛을 그리워하듯

금계국 스러진 꽃잎 마다

노란 물들인 내 바램 싣고

소식 없이 살포시 앉아 있겠지

언제나처럼

꽃비의 일생

봄바람에 흩날리는 꽃 비
서글픈가?
서운한가?
즐거운가?

짧든 길든 충실했던 一生
멋지지 않은가!
장하지 않은가!
미쁘지 않은가!

네잎클로버

당신이 지나간 자리에는

풀잎 하나 구김살 없이

아침 해 오름처럼

싱그러운 희망만 흘려 놓았네

당신이 건네 준 네잎클로버에는

네 잎 귀퉁이마다

당신의 자신 있는 입술처럼

상큼한 웃음만 소복이 쌓여 있네

봄비의 추억

봄을 재촉하는 비가 내린다.
비 오는 날의 추억 한 자락은 있음직한데,
어렴풋하게 나마도 떠오르지 아니하다니...!

영화처럼, 소설처럼, 두 사람이
작은 우산 하나에 등 다 젖도록 걷기도 하고,
웃옷을 머리에 뒤집어쓴 채 달려가기도 하고,
옷이 흠뻑 젖어도 아랑곳하지 않고
둘만의 이야기에 열중하기도 하지 않았었나?

비가 창가를 두드리며 추억을 독촉한다.
그 많은 세월 속을 다시 천천히 걸어 본다.
거리엔 무심히도 지나는 인적조차 없구나!

봄소식

그렇게도 지루하게 긴 겨울
이제 짓눌렸던 움츠림을 털고
먼 산자락 너머 아지랑이 앞세워
봄소식이나 전해주렴.

아직 설 녹은 대지엔
금방이라도 터질 것 같은
꽃 망우리를 움켜쥐고 있는
민들레를 잉태시키렴.

봄 처녀 꽃수레에
민들레 꽃씨 싣고
사뿐히 다가와
그리운 우리 님 소식이나 전해주렴.

티 난나?

지하철에 한 자리가 났다.

한 중년 여성이 잽싸게 앉았다.

힐끔 나를 보더니 자리를 양보했다.

노인 티 났나?

권하거니 사양하는 와중에

한 사람이 자리를 채간다.

티 안 났네….!

삶의 흔적

2020 유감有感

2020년 마지막 날이 코앞이다.

어물쩍하게 지나간 한 해이다.

그렇게 시간은 훌쩍 1년이 흘러갔다.

되돌릴 수 없다면 차라리 지워버리면 좋겠다.

그렇다. 2020년은 달력에서 지워버리자.

세월이 그건 억울하다고 주장하면

나이는 먹어 주자.

나는 지금

가끔은 나 자신이 무엇을 하고 있는지 알 수가 없는
때가 있다.
나이를 먹으며
이렇게 저렇게 늙어야 한다는 많은 글을 접하고 공감도
한다.
그리 해보리라 다짐해보기도 한다.

그러나 막상 그런 생각도 잠시일 뿐,
또 다시 일상으로 돌아오기를 얼마나 했던가!
아직까지 그런 무지렁이 같은 생각을 되풀이하며
후회 아닌 후회를 하며 살고 있다.

산에서 혼자 사는 사람들의 생활이 소개되곤 한다.
용기 있는 그들의 결단력에 감탄하며 부러워한다.
어떤 연유로, 어떻게 살든
새로운 삶의 시작과 생활력에 탄복한다.

나는 지금 생각만 가지고 사나 보다.
새로운 삶의 길을 엿보기만 했지 실천할 엄두를 내지 못했다.
아니, 나는 지금
여태껏 그랬던 나를 벗어 버릴 수 있을까!
잠자는 충동을 일깨워 새롭게 할 수 있을까!

부모와 자식 나이 차이

장수하는 추세에 따라
자식의 나이가 80대가 되어도 부모가 생존해 있는
경우가 많다.
노약한 부모를 나이 든 자식이 부양하기에 버거운
현실을 주변에서 종종 목격한다.

그러면 자식을 늦게 두어
부모와 자식 간(間)의 나이 차이가 큰 것이 좋은
현상일까?
뭐든 준비는 좋지만,
소심해 져서 지나친 계산은 필요 없지 않을까?

삶이 있으면 그 끝도 있는 법,
운명적 결론 외에 실제 일정은 창조주만이 안다.
그때까지 이미 벌려놓은 소임을 잘 마무리하자.
우리 후손들도 그리하면 나이가 무슨 문제이랴!

있다는 것은

얼굴이 이쁜 사람은
화를 내지 않는다
누구든 무시하지 않는다
모두를 용서할 수 있다
자신이 있으니까

마음이 고운 사람은
욕을 하지 않는다
누구든 미워하지 않는다
모두를 사랑할 수 있다
자기가 그러하니까

마음이 풍요로운 사람은
탐을 내지 않는다
누구든 얕보지 않는다
모두를 나눠줄 수 있다
있다는 것이 그런 거니까

자신이 있다는 것은
자기가 그러하듯
상대를 마음으로 맞는 것이리라
있다는 것이 그런 거니까

좋은 글이 너무 많구려

좋은 글이 너무 많구려.
알찬 글을 쓸 수 있는 재간 있는 사람들이 많네요.
그런 글을 시의적절時宜適切하게 전하는 것 또한
버금가는 재주지요.

그 생기 있는 글을 흩트림 없이 담아 벗님에게도 보내고,
용서받지 못할 정도로 노여움을 준 그 누구에게도 식지
않은 이 글들을 고대로 보내고 싶은 마음이 간절하오.

아름다운 글들을 벗 삼아 나를 되돌아봅니다.
여유를 준 벗님들 만나 향긋한 차 한 잔 하고 싶소.
벗님네 향기 본받아 우정 넘치는 글 보내고 싶소.

때로는 그리움을, 때로는 우정을,
때로는 불타는 미움을 순하게 쓸어 담아...

이제 알게 될게야

이제 매일 일깨워 줄게야.
나이를
가족을
아니
당신을

이제 매일 일깨워 줄게야.
사랑을
행복을
아니
당신을

이제 매일 알게 될게야.
가족이라는 것이
행복이라는 것이
사랑이라는 것이
아니
당신이
얼마나 중요한 사람이라는 것을!

겸손이 먼저일까?

오늘도 벗님네로부터 따스하고 행복한 글을 많이 받는다.
혹시 나의 친구는 이런 글을 받아 보았을까 망설이다가
좋은 글이지만 결국 전하지를 못한다.

나보다 친교 범위가 넓으니 벌써 누군가에게서 받았겠지.
이 글을 읽고 자기의 처지와 비교하며 오해하지 않을까?
좋은 글 중에는 인생 지침이 많기 때문이다.

나처럼 공감해 보자는 심정이지만, 행여나
'나는 벌써 알고 있네', '이제서야 퍼 옮기는가?'
'너나 잘 해라'. '나를 가르치려고 하지 말고…'
이런 오해를 하지나 않을까 걱정이다.

그래서
내가 좋다고 생각하는 많은 글이 나의 메모장에 쌓인다.
훗날 인생 참고서 보듯 틈틈이 가슴으로 읽고 싶다.

좋은 글 보내준 친구들에게 깊은 감사를 전한다.
그래도 '겸손이 먼저일까?'
전하지 못하는 아쉬움을 달랜다.

남과 여의 관계

남과 여의 관계는 우주가 창조되면서부터 주어진
숙명과 같은 것이 아닌가 싶다.
지고이기는 관계가 아니고 서로를 보완하는 관계인데
사람은 자기의 잣대로 판단하고 생각한다.

오히려 그래서 우리네 삶이 오묘하고 살아 볼만한지도
모르겠다.
해답을 찾으며 삶을 맛보는 것이다.
보물은 찾으러 갈 때가 설레고 숨겨진 힘까지
용솟음치게 한다.

우리도 그 보물을 찾아 나섰으니 기왕이면 즐겁게
찾으며 살자.
남자는 남자이기에
여자는 여자이기에
행복했으면 좋겠다.

일어나라, 친구야!

오늘 쳐다보지 못하고
가로누운 채….
묵묵무언인 친구를 보고 왔다.

헤어진 후,
기다려주지 않았다고
욕설이라도 퍼부었으면
좋으련만….

힘없이 아직도
그렇게 누워 있을까
덜컥 겁이 난다.

일어나라!
제발 일어나….

왜 안 깨웠냐고
큰소리라도 질러봐라.
이 친구야!

그 커피숍에서

오늘 그 커피숍에서 카페라떼 시켜놓고
혹시나 친구가 오지나 않을까 기대해 보네.
봄날은 무르익어 여름을 재촉하는데
기다리는 친구는 의자가 파이도록 소식 없네.
설렘과 기대에 찬 이 기다림이 식기 전에
찻잔 속에 친구 모습 비쳐질까 자리 못 뜨네.

터미널에서

마침 이 교수의 글을 읽고 있었네요.
특별히 어디를 갈 목적으로 터미널에 와 있는 것은
아니고 커피를 마시며 버스를 가다리는 군중을 보며
'사람멍'을 하고 있군요. 갈 고향이 따로 있는 것이
아니니 특별한 목적지를 잃은 그저 구경꾼은 아니겠지요.

이 교수가 있는 청주로 가는 버스는 언제 떠날까 막연히
생각해 봅니다. 그러나 이 교수가 버스 정류장이 보이는
커피숍에서 창밖을 내다보며 고향 여행을 하고
있으리라고는 미쳐 생각이 이르지 못했지요.

가끔은 오가는 사람의 물결을 보면서 멍때리는 것도
정신을 맑게 해주는 약이 되지요. 이 교수도 그런
치유법을 이미 터득한 게지요.

마나님이 나를 위해 영화라도 보자고 하네요.
적당한 영화가 있을까?
그러면 나는 또 다른 곳으로 여행을 떠나겠지요.

피천득 산책로

이번 토, 일요일은 산책길을 막지 않고 개방하여 이 길을 좋아하는 조 박사를 생각하며 걷고 있소.

화사하게 피었던 벗 꽃, 개나리, 진달래는 이미 아름답던 꽃말을 뒤로한 채 오가는 사람들을 반기고 있네요.

이 놈들 가고나면 다른 친구들이 화사한 꽃망울을 터트리고 반기겠지만 우리네 마음속엔 늘 봄이 가고 있음을 아쉬워하곤 하지요.

아직은 진달래, 개나리가 기다리고 있으니 조 박사랑 함께라면 하는 아쉬움에 이 봄을 붙잡고 싶은 느낌 때문일 겁니다.

카페에는 언제나처럼 각자가 재미있는 이야기들을 쏟아 내고 있네요. 그 모습이 나에게도 전염되어 마음이 들떠 가벼워지지요.

언젠가 건강한 조 박사와 그들 틈에 끼어 그간의 못 다한 예기 꽃을 피우겠지요.

따끈따끈한 봄 사진을 보내니 같이 걷고 있는 듯 감상해 보소.

행복의 시작

우리를 행복하고 건강하게 만드는 것은
“부富와 명예”가 아니고 “좋은 관계”라고 한다.

우선 손쉽게 전화로 안부라도 물을까?
아니! 내가 먼저?

그럼 일 년에 한번 연하장이라도 보내볼까?
아이고! 받았어도 회신한 적 없는 친구에게?

오래간만에 불러내 식사라도 하자고 할까?
아니야! 의례히 얻어먹는 친구니까..!

거리에서 우연히 오래간만에 만난 옛 친구,
그간 연락 한번 없어 반가웠지만 너무 서운했다.
한참 후에야 생각났다. 그런, 나는?

매년 안부 묻던 친구, 소식 끊긴지 오래다.
자식들 청첩장 보내려고 하니 문득 그 친구 생각이 난다.
염치없지만 그냥 보내본다. 주소라도 맞으려나…?

이래저래 따져,
나와 좋은 관계인 친구는 몇 명이나 될까?
좋은 친구 한 명이라도 행운이라고 했던가!

먼저 행복을 주자!
기다리지 말고 행복 찾아 나서자!

2020년의 반토막을 보내기 전에

오늘 6월의 첫 하루는
청명하고 티끌 하나 보이지 않는 기분 좋은 날이다.
친구는 오늘 오래간만에 커피숍에 출근한다고 한다.

집 나서기가 께름칙해서
창밖을 바라보며 마음을 달래기가 얼마 만이던가!
친구는 옛날 그 마담이 있던 다방을 찾아가듯 마음이
설렌다고 한다.

그간 방콕(집안)에서 얼마나 많이 목적 없는 묵상에
진력했나!
득음得音이라도 한양 낭랑한 목소리로 손님들께 근황을
알리고 싶다.

나랏일만 생각하면 마음 편할 날이 없는 요즘
우한 폐렴마저 걱정이다.

그래도 '이 또한 지나갈 테니'
남은 반 토막에 걸고 조금 더 참고 견디어 내자.

가족과 함께 임종을 맞고 싶은 친구

나이가 드니 몸 여기저기서 잔고장을 일으킨다.
인생 하직할 때도 생각해야 될 때가 된 것도 같다.

죽을 때 병원에서 죽지 않았으면 하는 소망이 있다.
그런데 그게 이루어질런지. 만일 뜻대로 안되어 병원에서
죽는다면 독실에서 가고 싶다.
그러나
만일 병치레가 길어져서 입원 오래하면 병원비 때문에
남은 가족 고생시킬까 걱정이다.

죽은 나는 모르겠지만 가족들에게 못할 짓이라. 임종
걱정하는 우리 이 교수님,
한 가지 대안은 입원하지 않으면 되지요.
그 방법은
평소에 몸을 단련해서 주어진 수명까지 건강 유지하고,
거창한 종합검진은 받지 않는 것은 어떨까. 거부하기
힘든 입원치료는 본인 의도와 다를 수 있으니 말이다.

그러니
평소 건강에 유의하며 오늘이 마지막이라 생각하고
즐깁시다.

혼자 커피숍에 출근했을 친구를 그리며

오늘도 출근하였나요?
어제 오전 결에 비 뿌려서 인가?
더욱 높아진 푸른 하늘에 눈부신 햇살이
밖으로 나오라고 손짓하네요.

옛 다방의 분위기는 아니더라도,
그때 듣던 음악은 아니더라도,
그럴싸한 마담도 레지④도 없지만
왠지 비슷하다고 믿고 싶어지는 것은
추억이 흐릿해져 가는 기억 탓일까요?

요즘 노래는 한국말이든, 외국어이든
알아듣지 못하는 음치이지만
그래도 리듬만은 익숙해져 가는 것이
나에게도 살 만한 세상이 된 증거의 하나이겠지요!

그래도 가끔은 마스크 벗어 던지고
친구들과 진한 커피 한잔하며
그간의 마음을 나누고 싶네요.

④ 다방에서 손님을 접대하며 차를 나르는 여자. lady의 옛스런 발음

그날이 오면

요 며칠 좋은 날씨가 계속되고 있네요.
눈 온 뒤 질퍽대던 거리도 말끔해졌는데 맑은 날 잡아 세차하려고 잔꾀를 부리다 자동차는 땟국물을 뒤집어쓴 채입니다.

커피숍 창가에 비친 다정한 사람들의 모습이지만 선뜩 안으로 들어서기에는 서먹한 마음입니다. 한동안 그놈의 팬데믹 소란으로 멀리했으니 말입니다.

특별히 할 얘기가 없더라도 그대가 있었으면 좋겠다는 생각을 하며 그냥 지나쳐버립니다.
그날이 내일이라면, 아니 언제라도 좋으련만 기약하기 어렵다는 현실에 가슴을 쓸어내립니다.

그날이 오면
친구여, 연락주시게나.
나설 준비되었다고 말일세...

다시 못 볼 벗을 그리며

벗은 염려와 꿈을 품고 일찍이 이민을 갔다.

벗은 성공한 딸과 아들을 자랑하며 늘그막에 돌아왔다.

벗은 늘 그랬듯이 훌훌 털고 급하게 영영 갔다.

아쉬움 남기고,
그리움 심어 놓고,
그렇게 먼저 갔다.

벗과 마주하며 예기하던 따스함이 그립다.
벗 없는 세월 늘 추운 겨울 같겠지.

오천겁五千劫의 인연 잊지 마시고,
잘 가시게....
편히 쉬시게...

병원 로비에서

병원엔 환자도 많다.
시장통처럼 환자로 붐빈다.

난 아픈 것도 아니었네.
감사하는 마음이 절로 생긴다.

'여보', '자기야', '엄마', '아빠', '할아버지', '할머니'
부르는 소리에 걱정이 배어져 들린다.

고령 노인이 건강하게 잘 살고 있는 보도를 접한다.
부럽지만 모두에게 그런 행운이 있으랴!

그래도
마지막 순간까지 '옆지기'나 '자식'에게 누를 끼치고
싶지는 않다.

한두 번이 아니지만,
오늘부터 음식조절도 하고, 운동도 시작하리라 다시
다짐해 본다.

시詩를 사랑하시는
모든 분들의
건강과 행운을 기원합니다

시간과의 속삭임

발　행 | 2023년 12월 13일
저　자 | 한문선
펴낸이 | 한건희
펴낸곳 | 주식회사 부크크
출판사등록 | 2014.07.15.(제2014-16호)
주　소 | 서울 금천구 가산디지털1로 119, SK트윈타워 A동 305호
전　화 | 1670 - 8316
이메일 | info@bookk.co.kr

ISBN | 979-11-410-5934-7

www.bookk.co.kr